Lincoln

1st edition.
Carl Sandburg

BETTER ANGELS

PHILIP KAPPEL

BETTER ANGELS

BY

RICHARD HENRY LITTLE
(R.H.L.)

WITH AN INTRODUCTION BY
CARL SANDBURG

MINTON, BALCH & COMPANY
NEW YORK : : : 1928

Printed in the United States of America by
J. J. LITTLE AND IVES COMPANY, NEW YORK

INTRODUCTION

IN the Chicago Historical Library are forty large volumes filled with newspaper clippings. These are practically all taken from newspapers in the year nineteen hundred and nine, the Lincoln Centennial year. Newspaper editors all over the country in that year interviewed persons then living who were alive when Lincoln was alive and who had seen Lincoln or talked with him. In searching my way through this forty-volume jungle, starting with volume one and ending with volume forty, I met several times a clipping of a Lincoln story by Richard

Henry Little, told through the words of an old Negro woman.

After five years I sent the story to Little, and he told me that as a boy down in Bloomington, Illinois, he had met many people who had seen and some who had known Lincoln; that he had listened eagerly to the legends and stories of Lincoln, and of them all, the ones told by old Negro men and women interested him most. The impression of Lincoln gained then had somehow remained in the back of Little's mind. When he came to write Better Angels, *it was from this storehouse of memories and tales that he created his "Mammy Jinny," his "Ann Rutledge," and his "Abraham Lincoln."*

As a character sketch while not factual, nor to be accurately placed with the folklore of the times, it is nonetheless more than fiction. It may belong in some odd borderland between fiction and folklore, a story born from impressions of the stir of voices lingering from childhood.

CARL SANDBURG

. . . . when again touched, as surely they will be, by the better angels of our nature.

—Abraham Lincoln

BETTER ANGELS

YOU all kain't talk to me 'bout Marse Linkum. Ah done knowed Marse Linkum puhsonally, mahsef.

Yassah, deed I did, chillern. Ah'm only a poh old cullud woman, but Ah done knowed Marse Linkum. Ah knowed him puhsonally mahsef. Why, Marse Linkum done called me "Mammy Jinny" dess lak you all do. An' Ah done uster mek cohn pone an' pot likkah foh him an' cook hog an' hominy foh him. Deed Ah did, honey. Ah done knowed Marse Linkum in de big days when he wuz de Pres'dent of dis yere whole kentry. Deed Ah did. An' he wouldn't a-been such a big Pres'dent ef it hadn't a-been foh old Mammy Jinny's cohn pones an' pot likkah an' hog an' hominy.

An' dat's de Gawdahmity's troof. He done say so hissef many a time, Marse Linkum did.

Ah don' know nothin' 'bout histry er readin' er writin' 'cause Ah'm dess a poh old cullud woman dat wuz bohn a slave way down in Tenn'see, but Ah knows sumpin 'bout Marse Linkum dat de men what wrote all dem yere books don' know. An' Ah neber tole it befoh, but Ah'll tell you chillern. Ah thinks of hit all de time. An' when Ah thinks of hit sometimes I dess look up to de sky an' Ah sing dat dere old song:

Mine eyes hab seen de glory ob de
comin' ob de Lohd.

Yassah, chillern. De good book done tell us dat de Lohd don' only come in de whirlwin' an' de thun'er an' de stohm. He done come down sometimes, quiet like, all by Hissef an' He tetch de heaht ob man, an' Ah done saw Marse Linkum one time when he face done shone wid a light dat nevah wuz on de lan' er on de sea. De good Lohd had come down an' wuz a-standin' by him an' old Aunt Jinny she done see hit all.

Hit wuz disaway. Ah wuz cookin' in dem days fer a rig'mint, de Two Hunderd an' Fohty-Foth Injianner, what wuz a-doing juty in Washin'ton. De camp wuz down de street not fah from de White House, an' Marse Linkum he used to come ovah evah oncet in a while to see de sojers an' sometimes he would set down an' eat wid de ossifers. Ah didn't cook foh de sojers. Ah done cook foh de ossifers. Ah done always wo'k foh quality.

How come Marse Linkum to eat so much wid us? Hit wuz disaway. De firs' night when Marse Linkum come, de ossifers wuz dess a-runnin' roun' an' roun' lak dey clean plum crazy in de haid a-tryin' to git quailses an' beefsteak an' puddin' an' everthing fine, an' Ah say: "You all go on an' min' yo' own business. Ah done know what Marse Linkum want."

An' de cunnel done say: "All right, Mammy Jinny, you fix up de fines' meal dat you kin git an' don' nevah min' de 'spense. Tain't evah rig'mint what can hab de Pres'dent ob de whole United Stateses come roun' an' eat supper wid 'em."

Well, Ah done know sumpin' 'bout Marse Linkum. Ah done send out and git de beefsteak an' de pies an' de pud-din' an' de cakeses an' things an' den Ah dess go quietly to wo'k mah own sef. An' when de boys toted all de fine things in to eat, Ah dess fetch in a big tray an' Ah march right up to de Pres'dent an' Ah done say: "Marse Linkum, de ossi-fers say foh me to buy all de fine things to eat dat dere is in Washin'ton, an' Ah done buy 'em, but Ah think you get a-plenty ob dat fine eatin' up in de White House an' Ah 'spects you all come down yere 'cause you done tihed ob eatin' all dem despepsha things. An' so Ah done cook supper foh you mah own sef an' Ah 'spects you lak hit."

An' den Ah sets right down in front ob him dess cohn pone an' pot likkah an' hog an' hominy. Mah goodness, you dess ought to seed dem ossifers! De cunnel's eyes stick out o' his haid so dat you could a dess hung yo' hat right on 'em, an' de majahs gets red in de face lak dey done a-goin' to choke. An' all de ossifers dey wuz so shamefaced an' dey all commence to 'splain dat Ah wuz only a poh old cullud woman an' didn't hab no mo' sense.

But Marse Abe he dess look at what Ah done set befoh him an' he say: "Dis is de bestest lookin' meal dat Ah've seed sence Ah been in Washin'ton. Hit's de very thing Ah've been a-hankerin' foh. Ah suhtenly am glad Ah done come yere."

Well sah, chillern, he dess light right in an' mah goodness, de way de Pres'dent ob de whole United Stateses dess natcherally et up dem cohn pones an' pot likkah an' hog an' hominy wuz suhtenly a caution. Lawzee, honey! he dess natcharlly did love dat eatin'. Ah carried him three helpin' ob hot cohn pones an' he dess et till he say he afeard he done bust hissef. An' he say de only trouble is dat he wouldn't sleep no moh dat night 'cause he would be afeard all de time dat old man Stanton, de secertary ob de wah, would sen' de Two Hunderd an' Fohty-Foth Injianner out to lick de secesh.

"Not but what Ah wants de secesh licked," say Marse Linkum smilin' like, "but Ah don' want Mammy Jinny to go way. An' if dat secertary ob de wah done sen' you boys away, Ah guess Ah'll hab to reckesition Mammy Jinny from yo' all. Ah wants to 'pint her to a place in de cabinet."

Wid dat he went away an' de cunnel an' de majahs an' all de ossifers dey wuz so tickled dey all done crowd roun' me an' dey say: "Mammy Jinny, how come dat you think of a-doin' dat?" an' Ah say dess 'cause Ah done knowed whah Marse Linkum wuz raised an' dat a man nevah get ovah a-likin' de vittles dat he wuz raised on, Ah don' keer how many Pres'dents he done git to be.

Well, after dat Marse Linkum he come roun' to us a right smart an' he always eat cohn pones an' pot likkah an' hog an' hominy dess lak he been done starvin' to daith. An' he always say to me: "Aunt Jinny," he say, "don' you want a pos' office er a co'mission in de ahmy er sumpin' lak everbody else do? You can mos' suhtenly hab any office you want." An' Ah done say Ah don' want no bigger office dan dess to cook cohn pones an' things foh him an' dat Ah 'spects Ah serve de United Stateses ob de nation a heap moh dataways dan lots ob folks does dat gits de pos' office an' de co'missions an' things. An' he laugh an' say, "You shore do, Mammy Jinny, you shore do."

Ah see Marse Linkum heaps o' times an' Ah dess feel bad 'cause he face so sad. An' Ah ask de cunnel whaffor Marse Linkum hab sech a sad look on he face all de time.

An' Marse Cunnel say hit de wah dat Marse Linkum got on he heaht. An' den Ah say dat hit sumpin' moh dan de wah; dat he got a eatin' sorrer somewhah in de heaht, 'cause some ob de sojers done tol' me he look dataway when he wuz a lawyer man out in Illinoy. An' de cunnel he say dat people all time a-pesticatin' de Pres'dent foh pos' offices an' to keep sojers dat run away from de ahmy from bein' shot.

"Dat old man Stanton, de secertary foh de wah," say de cunnel, "he want to shoot ever' man dat dess write a letter home. Co'se hit's right an' propah foh to shoot a man dat done run away. Dat has to be done er de ahmy dess natcherally raise right up whenevah dey feel lak hit an' go home. But Marse Linkum he know lots ob de boys dat desert don' do hit foh meanness. Dey don' know how bad hit is foh de ahmy an' dey git homesick an' dey wants to see dere mudder an' dere fadder an' dere sisters an' dere brudders an' so dey stick dere guns down a old holler log an' dess natcherally lights out foh home.

"An' Marse Linkum he dess signs pahdon papers foh dese boys till old man Stanton he git black in de face an' he sass Marse Linkum sumpin' skanjulus an' tell him he done spile de whole ahmy an' ruin de whole nation. An' lots ob times when Marse Linkum he want to sign a pahdon paper to keep a sojer from bein' shot er hung by de neck, old man Stanton he come ovah to de White House an' he dess cuss an' cuss mos' outlandish an' he hump up he back an' roar dess lak a old bear wid he foot in a trap, an' he don' let Marse Linkum sign de pahdon paper, an' Marse Linkum, he cry."

An' den Ah say, "Marse Cunnel, Ah

haint askin' you all 'bout dat. Ah'm askin' you all what dat secret sorrer what dess a-gnawin' an' a-gnawin' Marse Linkum."

An' Marse Cunnel he done say he don' know nothin' 'bout dat.

An' den Ah say, "Marse Cunnel, when Marse Linkum wuz a young man 'foh he done git mahied he love a gal wid de love dat a man has in he heaht dess once in he whole lifetime. An' dat gal she done die."

An' Marse Cunnel, he done quit smilin' an' he turn on me an' he voice drop low, an' he say: "Mammy Jinny, how come you know 'bout Ann Rutledge?" Yassah, dat wuz de name. Ah don' never disremember dat name—Ann Rutledge.

An' Ah say: "Ah didn't say nothin' 'bout no Ann Rutledge. Who is dis yere Ann Rutledge?"

An' de cunnel he done tole me 'bout a gal dat live at New Salem out in Illinoy, an' Marse Linkum when he dess come to town an' done been 'bout twenty yeah old, he done boahd at old man Rutledge's an' he love dis gal. An' she wuz dess 'bout seventeen yeah old, an' dess as slender an' dess as pretty wid a great big haid ob hair dat wuz dess as red yaller as gold. An' Marse Linkum he dess love dis gal, an' he go wid her evahwheres an' specially he lak to walk wid her in de white moonlight 'cause her haid so pretty den, but she done engaged to a man dat go way, but don' keer nothin' foh her, an' he don' write an' she fin' out she love Marse Linkum an' she don' know what to do, an' she cry all de time, an' den her poh li'l heaht dess natcherally bust an' she die.

An' de cunnel he say solemn like: "When dat look you done speak about come in de Pres'dent's face, Ah think he heaht away out in dat li'l grave in Illinoy, de grave whah dey done bury Ann Rutledge."

Ah didn't see much ob Marse Linkum dem days. He wuz so pesticated all de time he couldn't fin' much time to come 'roun'. Ah done cah'y him ovah some cohn pones an' pot likkah an' hog an' hominy in a baskit oncet in a while an' he wuz dess mighty proud to git hit.

One night Ah sees a lady a-talkin' to de cunnel an' a-cryin' an' a-cryin'. Dere wuz dess sumpin' familiarish lookin' 'bout dat lady, an' Ah done walk in an' pesticate 'roun' till she done look up an' den she dess say, "Oh, Mammy Jinny," lak a-dat an' she grab me an' Ah grab her an' she put her haid down in my bosom dess lak she uster do when she wuz a li'l gal an' she dess sob lak she gwine to die.

An' de cunnel he blow he nose hahd an' he wink he eyes an' he say, "Aunt Jinny, how come you to know Misses Tayloe?"

An' Ah done say, "Dis yere's mah

young missus. Ah done holt her in mah ahms when she wuz bohn. Ah done take keer ob her when she wuz a li'l gal clear up to de time she done git mahied. How comes *you* know Miss Vahginny, Marse Cunnel?"

An' de cunnel he say when de Two Hunderd an' Fohty-Foth Injianner done been fightin' down in Tenn'see, dat dey fit a battle right 'roun' mah young Missus' house an' she done come out an' give watah to de poh wounded sojers an' tied up de places dey been shot in an' wo'k day an' night a-takin' keer o' dem.

"She's one ob Gawd's good angels, Aunt Jinny," say de cunnel mighty solemn lak. "Ah'm powerful sorry dis great trouble done come down upon her."

An' Ah say, "What great trouble, Marse Cunnel? Ah done kill anybody what don' treat mah Miss Vahginny right."

An' de cunnel he say, "You done got a lot ob puhsons to kill den, Aunt Jinny. You got to kill old man Stanton an' Gin'ral Grant an' a whole passel ob 'em."

An' den mah missus she get moh quiet-lak an' betwixt she an' de cunnel Ah fin' out all 'bout hit. Hit seems dat mah young missus got a boy dess 'bout twenty yeah old what done been bohn since Ah don't git no wohd from her, an' dis yere boy he done run 'way from home an' jine wid de yankee sojers. Dis yere boy he dess crazy in de haid in love wid a gal right near he home. An' de gal she dess crazy in de haid in love wid him. An' she written to him dat he a disgrace to de souf, dat he a disgrace to he mudder, an' dat he break her heaht. De boy he written to her to wait ontwel he come some day an' dey talk hit all ovah. An' she written him again dat she nevah want to set eyes on him no moh, an' de boy he dess mighty nigh go looney, shore.

Den hit come dat his rig'mint's marchin' right close by de old home an' he done ask he cunnel foh a pass to go an' see he mudder an' dis gal, but de cunnel he won't give him none. Den de boy he dess sneak off one night t'rough de hazel bresh, an' he say to hissef dat he be back in de mohnin' an' nobody know nothin' 'bout hit. So he go to see de gal, but she done gone away, an' he mudder she done gone away, an' he done pesticate 'roun' ontwel finally he staht back, but de ole secesh come an' he fo'ced to hide out in de hazel bresh foh a week, an' den de yankee sojers dey catch him an' dey gwine foh to shoot him foh a-desertin' of de ahmy.

Den he folks dey use all de 'fluence dey got a-tryin' to save dat boy's life, but hit ain't no use. Dere wuz so many sojers a-desertin' an' a-gettin' pahdoned dat old man Stanton he dess natcherally stand right ovah Marse Linkum an' won't let him sign no moh pahdon papers a tall.

Mah missus she done come down to Washin'ton an' she go right down on her knees to de Pres'dent an' cry an' beg, an' Marse Linkum he sign a pahdon paper, an' old man Stanton dess natcherally teah hit up an' he shout at Marse Linkum: "What you all goin' foh to do, save dis yere scamp's life er save de nation's life?"

An' Marse Linkum say he guess dat wuz de way to look at hit, an' some ossifers at de White House dey take my missus way an' dey won't let her see Marse Linkum no moh. An' in three days moh dey's a-gwine to shoot dat boy.

Ah dess didn't know what foh to do. Ah done cry till de cunnel he say, "Mammy Jinny, you 'member dat Pres'-

dent Linkum done say he gwine to put you all in de cabinet? You suhtenly am a smaht woman, Aunt Jinny. We all kain't do nothin' foh to save dis yere boy. Now you done got to save him."

Ah was so flabbergasted Ah didn't know what to say, an' mah young missus done grab me an' she kiss dis old black han' an' she cry foh me to save dat boy.

Ah didn't know what to do, but mah missus wuz so clean plum 'stracted Ah couldn't tell her dat Ah couldn't do nothin'. Den Ah dess set dere an' think an' think, an' mah missus she say: "Tain't only foh me. Dat li'l gal she done gone mighty nigh crazy. Ef dey kill dat boy den dey kill her wid de same bullet an' dey kill he mudder, too."

Hit wuz dess awful, chillern, but Ah couldn't think ob nothin' to do, an' me an' de cunnel we walk home wid mah missus an' we get to de boahdin' house whah she done stop an' we sets down on de stoop in de white moonlight, an' mah missus say, soft lak: "You wait till Ah bring de gal, dat li'l gal dat love mah poh boy so."

An' she go way an' bimeby she come back wid de gal dat wuz de mos' beautifullest gal Ah evah see wid dese yere eyes.

She done try to say sumpin', but she dess couldn't talk an' dess cry an' mah missus sob lak her poh li'l heaht dess gwine to bus', an' de cunnel dess walk up an' down an' cough an' cough an' keep he haid tuhned away.

Den de cunnel an' me walks back an' Ah shore done a most powerful lot ob speculatin' an' de nex' day Ah says to de cunnel foh him to tell Marse Linkum dat Ah wuz a gwine to hab a dinnah ob cohn pone an' pot likkah an' hog an' hominy dess foh him an' de cunnel dat night an' serve hit down back ob de rig'-mint in a li'l grove dat he used to walk in sometimes.

An' de cunnel he look anxious lak an' he say: "Aunt Jinny, you all a-puttin' up sumpin' on de Pres'dent. Don' you done fohgit dat he am de Pres'dent, Aunt Jinny, an' don' you all git me into no trouble." An' Ah say foh him to dess min' he own business an' go an' tell Marse Linkum what Ah done said.

Well, hit wuzn't till 'bout ten o'clock dat Marse Linkum an' de cunnel come ovah.

Marse Linkum say he nevah been pesticated so much in all he life as he done been pesticated dat day. He say dey's had news from de front an' dat evahbody in de kentry dat didn't want a pos' office er to be a gin'ral in de ahmy wuz a tryin' to keep somebody dat deserved hit from bein' shot.

Dat didn't soun' good to me, but Ah had 'em set down dere out a doors an' Ah git de fines' supper you evah see an' Marse Linkum he say he hadn't had nothin' to eat all day an' he powerful hongry an' he and de cunnel et an' et, an' den Ah whisper to de cunnel dat dey wants him at haidquarters an' he step away an' Marse Linkum he start to git up, too, when, sudden lak, mah young missus stan' dere.

She speak low lak an' she say, "Yassah, Mistah Linkum, Ah'm Miz Tayloe an' Ah dess got to speak to you once moh 'bout mah poh boy dat you gwine foh to shoot."

Marse Linkum he look aroun' at me an' he speak stern, an' he say: "Dis am yo' wo'k, Mammy Jinny, an' Ah don' min', but you all mustn't interfere no moh."

Den he look at mah young missus an' he say: "Ah'm mos' suhtenly sorry,

Madam. Ef Ah could have had mah way, Ah would have pahdoned dat boy, but de matter is out ob mah hands now an' Ah kain't interfere. Ah bids you good evenin'."

Ah dess couldn't hol' back no moh, an' Ah got right in front ob de Pres'dent ob de whole United Stateses ob de kentry. "Marse Linkum," Ah say, "you done promise me you do sumpin' some day foh me. Ah nevah ast you foh nothin' be-foh. Ah hain't gwine foh to nevah ast you foh nothin' no moh. But dis am mah young missus. Dis am de lady dat wo'ked night an' day carryin' watah to yankee sojers an' a-feedin' 'em wid her own han's an' takin' dere las' wohds when dey died. Her boy didn't do nothin' so bad. An' you are gwine to kill her an' him an' dat li'l gal dat he loves. Foh Gawd's sake, Marse Linkum, don' do hit! Don' do hit!"

Ah dess went down on mah knees an' Ah cried so Ah couldn't say no moh.

Marse Linkum wuz powerful still an' den he say: "Ah'm powerful sorry. But dis hain't de only mudder whose heaht am breakin' 'cause of de wah. Foh de good ob all, foh de good ob evah mudder in dis kentry, de wah must end, an' we kain't end hit, ef sojers are not made foh to do dere juty. Ah kain't do nothin' moh in dis yer case."

He stahted to go an' Ah got up an' Ah made de sign what Ah said an' de li'l gal came out from de shadders into de moonlight. She walked right up to de Pres'dent an' stood dere, dess as beautiful as a angel in a white dress an' de white moonlight makin' her hair look des lak de halo dat de angels wears. It dess shone lak it wuz all ob gold dat wuz lit up someway.

De Pres'dent looked an' looked an' looked at her and den he set down on de chair again an' he say, mighty faint lak, "Who is you?"

An' de li'l gal go down on her knees an' retch out her hands an' she say dat she is dess Ann Scott, an' dat she wuz engaged to marry de boy dat wuz gwine to be shot, an' dat she had done tol' him she hated him 'cause he wuz a yankee so-jer, but dat she dess loved him so much dat ef dey killed him dey would kill her too.

Marse Linkum sat dess starin' at her an' a starin' at de moonlight in her hair an' a sayin' ovah an' ovah again: "Ann, Ann, Ann."

De two ob dem stayed dess dataway a long time an' den Ah looked at Marse Linkum an' Ah see dat look Ah never seed befoh. An' Ah'll neveh see hit again till Ah gits to glory. An' Ah pull de li'l gal by de sleeve an' de mudder an' tell Marse Linkum dat now we go away. But he done tuhn to mah missus an' he ask her foh de papers an' he written on 'em an' han' 'em back an' say dat now de boy wouldn' be shot no moh. An' den we all tried to thank him, but we kain't an' he say he unnerstan an' de tears dess roll down he cheeks an' he put his ahm 'roun' de li'l gal an' he say:

"Ann, don't be angry at de boy ef he wear a unifohm you don' lak. Don' evah be angry 'bout nothin'. Dess love an' trust him an' may Gawd bless you an' keep you fo'evah, Ann."

An' dat wuz all, chillern. An' we goes away an' Ah look back an' see him still a-sittin' in de chair in de moonlight wid his haid in his han's an' he stovepipe hat a-fallen on de groun'.